LES PLUS BEAUX CONTES DU MONDE

Le Petit Poisson d'or

raconté par MARLÈNE JOBERT

EDITIONS
ATLAS

Éditions Glénat
Couvent Sainte-Cécile
37, rue Servan
38000 GRENOBLE

© Éditions Atlas, MMIV
© Éditions Glénat, pour l'adaptation, MMXIII
Tous droits réservés pour tous pays

Avec la participation de Marlène Jobert
Illustrations : atelier Philippe Harchy
Photo de couverture : Éric Robert/Corbis
Prépresse et fabrication : Glénat Production

Achevé d'imprimer en janvier 2013 en Italie par L.E.G.O. S.p.A.,
Viale dell'industria, 2
36100 Vicenza
Italie
Dépôt légal : février 2013
ISBN : 978-2-7234-9383-3

Loi n°49-956 du 16 juillet 1949 sur les publications destinées à la jeunesse.

I était une fois un pêcheur qui vivait avec sa femme dans une misérable cabane au bord de la mer. Tous les jours, dans sa vieille barque, il allait pêcher loin du rivage. Ce matin-là, il n'eut pas de chance. Chaque fois qu'il remontait son filet des flots, aucun poisson ne s'y trouvait, pas un seul, pas même la moindre petite sardine !
Le pauvre homme passa de longues heures au soleil en recommençant encore et encore, mais il ne pêchait toujours rien.

Il n'y avait pas un souffle d'air, la mer plate et immobile semblait désertée. Vers le soir, il fut pris d'inquiétude... Que mangeraient-ils, sa femme et lui s'il ne rapportait rien pour le dîner ? Il lança une dernière fois son filet et, lorsqu'il le remonta, il y trouva enfin un poisson, un tout petit poisson dont les écailles brillaient comme de l'or ! Le pêcheur allait le saisir, mais son geste s'arrêta net quand il entendit parler ! C'était le poisson qui lui disait d'une voix suppliante :

- *Pêcheur, pêcheur, s'il te plaît, laisse-moi la vie et la liberté, je suis un prince ensorcelé, et je te donnerai tout ce que tu peux souhaiter !*
Le premier moment de surprise passé, le pêcheur, qui était un brave homme, lui répondit :

- *Garde donc ta liberté ! Va ! De toute façon, moi, un poisson qui sait parler, je ne pourrais jamais l'avaler !*

Puis il le remit délicatement dans l'eau et rentra chez lui. Il raconta à sa femme qu'il n'avait rien pêché de la journée, si ce n'est un minuscule poisson doré qu'il avait d'ailleurs relâché en échange de grandes promesses...

- *Et que lui as-tu demandé alors ?* s'exclama aussitôt la femme.

- *Eh bien... rien ! Que voulais-tu qu'il me donne ?* L'épouse devint soudain furieuse.

- *A-t-on jamais vu pareil nigaud ! Que voulais-tu qu'il me donne ? Que voulais-tu qu'il me donne ? Tu ne vois donc pas l'état de notre vieille masure pleine de trous et de pourriture ! Comment peut-on être aussi bête ! Reprends ta barque immédiatement et cours dire à ce poisson que nous voulons une petite chaumière en échange de la vie que tu lui as laissée ! Allez, vite !*

Le pêcheur, tout penaud, effrayé par les cris de sa femme, repartit sur la mer. À l'endroit où il l'avait pêché, il appela le poisson :

— Poisson, petit poisson d'or, reviens près de moi, reviens encore. C'est ma femme, la dure Isabelle, qui veut que je veuille comme elle.

Le vieil homme entendit un léger clapotis, et à travers l'eau calme et transparente brillèrent bientôt les écailles dorées du petit poisson.

— Et que veut-elle donc ? demanda celui-ci.

— Une jolie maisonnette pour remplacer notre vieille cabane.

— Rentre chez toi, elle l'a déjà ! dit tranquillement le poisson avant de replonger dans les profondeurs turquoise de la mer.

Lorsqu'il revint chez lui, le pêcheur n'en crut pas ses yeux. À la place de la misérable bicoque, il y avait maintenant une charmante chaumière. Sa femme, qui l'attendait sur le seuil de la porte, lui montra avec une joie de petite fille la cuisine aux cuivres étincelants, le salon et la chambre confortablement meublés, et le jardin joliment fleuri.

- *Fichtre !* fit le bonhomme tout content. *Nous avons vraiment tout pour être heureux maintenant ! Non ?*

- *Nous verrons, nous verrons...* répondit étrangement sa femme.

Deux semaines plus tard, en faisant la grimace, elle déclara :

- *Finalement, cette chaumière est bien trop petite pour nous.*
Le poisson aurait dû nous donner quelque chose de plus grand.
Retourne donc le voir et dis-lui qu'il nous faut maintenant un beau
château de pierre entouré d'un parc !

- *Mais, cette maison est déjà très bien pour nous ! Qu'allons-nous*
faire d'un château ?

L'épouse alors se fâcha :

- *Va donc trouver ce poisson, bougre d'imbécile ! Tu n'as qu'à*
demander, ce n'est pas difficile, il peut bien faire cela pour nous,
non ? Nous lui avons sauvé la vie ! Allez ! Vas-y !

Le pêcheur, qui redoutait le terrible caractère de sa femme, dut retourner sur la mer. Il y avait du vent ce jour-là, et sa barque dansait sur les vagues lorsque timidement il appela :

- *Poisson, petit poisson d'or, réponds, réponds-moi encore. C'est ma femme, la dure Isabelle, qui veut que je veuille comme elle.*

Le petit poisson d'or apparut bientôt à la surface agitée de l'eau.

- *Et que veut-elle encore ?* demanda-t-il au pêcheur.

- *Eh bien, heu...* dit le brave homme très embarrassé, *c'est que... maintenant... elle veut un château !*

- *Rentre chez toi, elle l'a déjà !* Et le petit poisson disparut dans les flots.

Au retour, le pêcheur découvrit, à la place de la chaumière, un majestueux château !

Sa femme l'attendait en haut du grand escalier de marbre, et, toute excitée, elle lui fit visiter les salles et les salons aux portes monumentales.

Des domestiques se courbaient sur leur passage, et le pêcheur ébahi s'extasiait à chaque pas :

– *Oh ! Et ces lustres tout de cristal ! Oh ! Et cette vaisselle en argent, et ces belles tapisseries ! Oh ! Et ces meubles, tous plus magnifiques les uns que les autres ! Oh ! Et ce parc... mais il est immense ! Ah vraiment, ma femme, c'est trop de bonheur !* s'exclama vivement le pêcheur les larmes aux yeux. *Il nous faudra plus d'une vie pour goûter à toutes les joies que va nous procurer cette fabuleuse demeure !*

Sa femme hocha la tête avec un petit sourire mais ne dit rien.

Le lendemain matin, elle réveilla son mari d'un coup de coude :

- *Va vite trouver ton poisson et explique-lui qu'il faut absolument que nous soyons les rois de ce pays !*

- *Quoi ?* s'écria le pauvre vieux en se frottant les yeux, *je n'ai pas besoin d'être roi, moi ! Je suis bien assez heureux comme cela !*

- *Que m'importe ton bonheur !* hurla la terrible femme, le visage soudain rouge et crispé. *Cours tout de suite lui dire que, moi, je veux être reine !*

L'homme pensait que ce n'était vraiment pas raisonnable et que le poisson finirait par le prendre mal. Il ne voulait pas y aller, mais sa femme devenait si enragée qu'il y retourna tout de même.

L'eau était grise et tourmentée, l'écume volait sur la crête des vagues et la fragile embarcation était ballottée par les flots. Dans les sifflements du vent, le vieil homme dut crier pour se faire entendre :

- Poisson, petit poisson d'or, réponds, réponds-moi encore. C'est ma femme, la dure Isabelle, qui veut que je veuille comme elle.

- Que veut-elle donc encore ? demanda le petit poisson.

- Voilà que maintenant elle veut devenir... il hésita, il était si peiné d'avoir à demander une telle absurdité. *Elle veut devenir... reine !* lâcha-t-il enfin en pleurant.

- *Rentre chez toi, elle l'est déjà !* dit le petit poisson avant de disparaître dans les vagues en furie.

Lorsque le pêcheur trouva sa femme assise sur un grand trône d'or portant une couronne incrustée de diamants et tenant un sceptre orné de pierres précieuses, il en eut le souffle coupé.

- *Te voilà la plus riche et la plus importante, maintenant ; tu dois être contente ?*

- *Oui, parce qu'une reine peut tout exiger et tout avoir, tout,* répondit-elle enfin satisfaite.

Durant la nuit qui suivit, le pêcheur dormit profondément, mais « la reine », qui ne pouvait trouver le sommeil, attendait avec impatience que la nuit s'achève.

Elle se tournait et retournait dans ses draps de soie en soupirant rageusement :

- *À quoi cela me sert-il d'être reine si je ne peux même pas commander au soleil de se lever ! Je veux pouvoir tout diriger ! Tout ! Comme bon me semble !* grognait-elle, dévorée par le désir d'être plus puissante encore.

Finalement apparurent les lueurs rosées du matin. Elle se redressa dans son lit, regarda le soleil jeter ses premiers rayons et réveilla d'un grand coup de coude son mari :

- *Homme, debout ! Va dire au poisson d'or que je veux pouvoir commander moi-même au soleil de se lever.*

L'homme reçut un tel choc qu'il en tomba du lit.

- *Que dis-tu là ?* balbutia-t-il croyant avoir mal compris.

- Je ne puis supporter plus longtemps que la lune et le soleil se lèvent et se couchent sans que je leur en aie donné l'ordre. Cours lui dire que je veux le pouvoir suprême, tout gouverner sur terre comme au ciel !

- Sur terre comme au ciel ? Mais, femme, c'est impossible ! Quelle est cette nouvelle folie ? Il n'y a que le Bon Dieu qui...

Mais le pauvre homme ne put en dire davantage, sa femme le fixait d'une si terrible façon qu'il en eut des frissons.

- Alors va dire au poisson que je veux être le Bon Dieu ! Allons debout ! rugit-elle en le frappant d'un autre coup.

Le pêcheur enfila ses vêtements à toute vitesse et, complètement bouleversé, reprit sa barque.

La mer cette fois était noire et déchaînée, grondante et écumante sous une tempête d'une violence inouïe. Le pêcheur crut qu'il allait se noyer.

Lorsqu'il fut arrivé tant bien que mal à l'endroit habituel, il dut hurler de toutes les forces qui lui restaient :

- *Poisson, petit poisson d'or, réponds, réponds-moi encore. C'est ma femme, la dure Isabelle, qui veut que je veuille comme elle.*

- *Mais que veut-elle donc encore ?* demanda le petit poisson. On aurait dit que l'or de ses écailles lançait des éclairs dans l'eau sombre.

- *Ah ! Petit poisson,* gémit le pauvre homme, *voici qu'elle veut avoir le pouvoir suprême, gouverner le monde, être le Bon Dieu !*

Soudain, le tonnerre se mit à gronder, le ciel à noircir, le vent redoubla de violence et souleva des vagues hautes comme des montagnes. Le pêcheur, terrorisé, vit disparaître dans la mer le petit poisson d'or sans que celui-ci ne lui ait donné de réponse.

Il attendit tremblant au milieu de la tourmente, mais peu à peu les vagues le repoussèrent vers le rivage, et il dut se résoudre à rentrer au château.

Il était épuisé et abattu, mais il craignait surtout la colère de sa femme « la reine ».

Elle le chasserait sûrement lorsqu'il lui avouerait qu'il n'avait pu obtenir du poisson d'or ce qu'elle exigeait. Mais que vit-il au détour du chemin à la place du château somptueux ?

La pauvre vieille cabane dans laquelle il avait vécu auparavant.

Sa femme, assise sur le pas de la porte, l'attendait, muette et hébétée, ne comprenant pas encore ce qui venait de lui arriver.

Elle passa le reste de ses jours dans cette misérable demeure, à regretter d'avoir tout perdu pour en avoir trop voulu.

Son pauvre mari eut beau lancer et relancer ses filets, il ne pêcha plus jamais de petit poisson d'or... plus jamais...

Fin